www.casterman.com

ISBN 978-2-203-03421-1

ZOÉ et THÉO

font du poney

Catherine Metzmeyer & Marc Vanenis

casterman

Chaque semaine, Zoé et Théo font du poney
chez leur cousin Thomas.

Mais avant de monter Moka et Chocolat, il faut
les préparer et... les gâter.

Zoé adore Chocolat.
Ça tombe bien, Théo préfère Moka !

Zoé est fière de sa bombe : c'est celle de sa maman quand elle était petite !

Un léger coup de talon et les voilà partis !
Trois arbres plus loin, Zoé rêve qu'elle est une princesse
et qu'elle va rejoindre son prince charmant !

Théo rêve qu'il est un cow-boy et qu'il galope
sur un pur-sang !

Mais le long de l'étang, tout à coup, Thomas les arrête.
– À terre, les jumeaux !

Prêt à attaquer, un grand cygne surgit !
— Mais qu'est ce qu'il lui prend ? s'effraie Zoé.
— N'ayez pas peur, il défend son territoire, lui répond
Thomas.

– Tout doux, Moka, du calme : ce papa cygne protège
sa famille, chuchote Théo.

Alors, tels des explorateurs, les enfants contournent l'étang ...

... et découvrent maman cygne sur son nid!
Quelle merveille!

Regarde, Zoé, c'est le papa cygne qui avait tellement
peur pour ses petits!

De retour, Théo regrette:
– La promenade était trop courte.
Zoé se réjouit déjà:
– Oui, mais Thomas nous a promis que la prochaine fois,
nous irons dans les bois.

– Nous y croiserons peut-être un écureuil ou une biche ! espère Théo.
– Et pourquoi pas un loup, ouh, ouh ? s'écrie Zoé.

Quelle joie de raconter sa journée à Papa et Maman!
– Hue! Hue! crie Théo.
– On fait la course? propose Zoé.

Achevé d'imprimer en octobre 2010, en Italie
Dépôt légal janvier 2011 ; D. 2011/0053/41
Déposé au ministère de la Justice (loi n° 49.956 du 16 juillet 1949 sur les publications destinées à la jeunesse).